El fantasma de l'escola

Hazel Townson

El fantasma de l'escola

Il·lustrador: Tony Ross

Títol original: *Amos Shrike, the school ghost*
First published in 1990 by Andersen Press Limited

Passeig Sant Joan Bosco, 62
08017 Barcelona

Disseny de la col·lecció: DMB&B.

Traductora: Victòria Alsina.

3a edició

ISBN 84-236-2647-4
Dipòsit Legal. B. 3172-96
Imprès a Espanya
Printed in Spain
EGS - Rosari, 2 - Barcelona

Índex

Capítol u

El fantasma es passeja

Xerric xerric! Clac clac! Gemecs! Un fantasma avançava pel passadís de l'escola encantada.

El fantasma procurava que no el veiessin mai durant les hores de classe, de manera que ningú no sabia que l'escola estava encantada,

tret del Sam Browne, el vigilant, però li deien que tanqués la boca sempre que mencionava el fantasma.

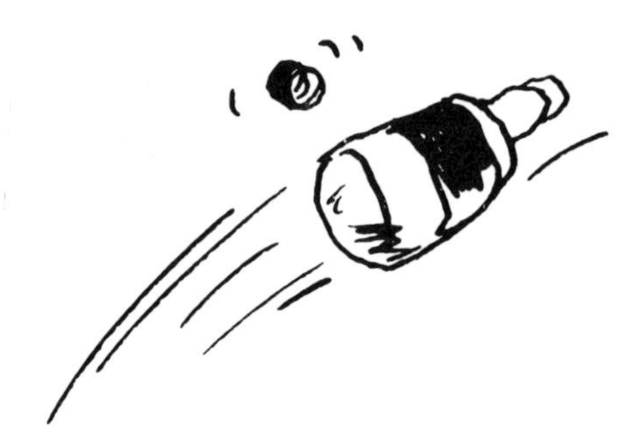

(El Sam, a més, era aficionat a l'esperit de vi; és a dir, que de totes maneres no se'l creia ningú.)

Però un dimecres al vespre, quan el Sam estava de baixa per una grip, el fantasma va tenir una nova companyia.

El Basil Nibbs havia estat castigat a quedar-se per haver penjat algues pudents al retrat del director just abans de la visita de l'inspector.

Al Basil no li feia gens de gràcia que el castiguessin i, per això, després d'haver complert el càstig, es va amagar als lavabos per planejar la seva venjança.

Quan tothom se n'havia anat a casa, el Basil es va esmunyir pel passadís buit cap al despatx del director.

Va riure per sota el nas amb satisfacció, tot pensant en el pla malvat que havia rumiat: omplir de renecs totes les parets empaperades del despatx amb una lletra dissimulada.

I de sobte va sentir un soroll al seu darrere. Xerric xerric! Clac clac! Gemecs! Es va girar i es va trobar de cara amb tots els horrors del *capítol dos*.

Capítol dos

El fantasma es diverteix

Horror! Era un fantasma! I un fantasma realment de fora d'aquest món!

Es tractava, de fet, d'un esquelet mascle de mitjana edat, carregat de cadenes i vestit amb una llarga camisa de dormir transparent i amb un vel teranyinós al cap.

Però no es pot dir que tingués un os a l'esquena, perquè s'havia dedicat a recórrer l'escola a tota velocitat, tal com ho faria un robabotigues desesperat la nit de Nadal.

En girar-se el Basil, el fantasma li va clavar la mirada a la cara.

I amb un xiscle terrible, el fantasma va reconèixer el Basil Nibbs, tot i que mai abans de morir no li havia posat els ulls a sobre.

Perquè el fantasma no era cap altre que l'esperit inquiet d'Amos Shrike, un antic professor de l'escola, a qui, feia cent anys, un alumne de la seva classe, anomenat Bartholomew Nibbs, havia fet tornar completament i irremissiblement boig.

Doncs resulta que el Bartholomew Nibbs era el rebesavi del Basil, i el Basil era clavadet al seu rebesavi.

No és estrany, doncs, que el fantasma el reconegués! Ensumant per fi la venjança, el torturat fantasma va estirar els seus dits descarnats...

i l'aterroritzat Basil va fugir cap als horrors encara més esgarrifosos del *capítol tres.*

Capítol tres

El fantasma ataca

El Basil va córrer a tancar-se al despatx del director, on es va arrupir sota l'escriptori, tremolant com un esquimal espantat.

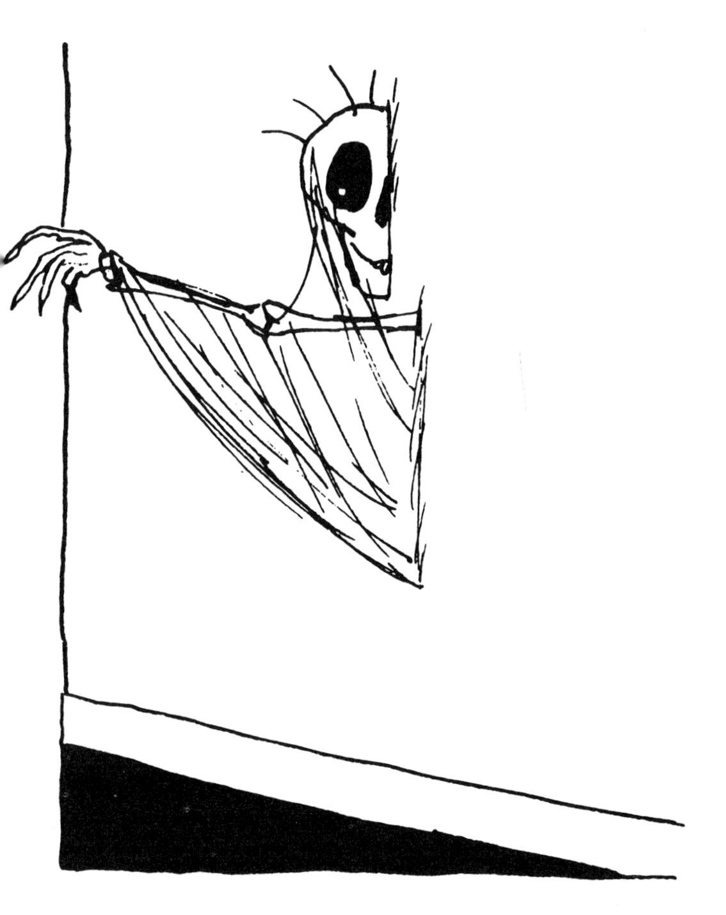

Però ja se sap que amb una simple balda no hi ha res a fer contra un fantasma. El difunt Amos Shrike es va limitar a travessar la paret.

Després va agafar un retolador vermell i es va posar a escriure per totes les parets del despatx:

«El B. Nibbs et té una tírria que no et pot veure.» «El B. Nibbs ha estat aquí, però prova de demostrar-ho!», i moltes frases semblants.

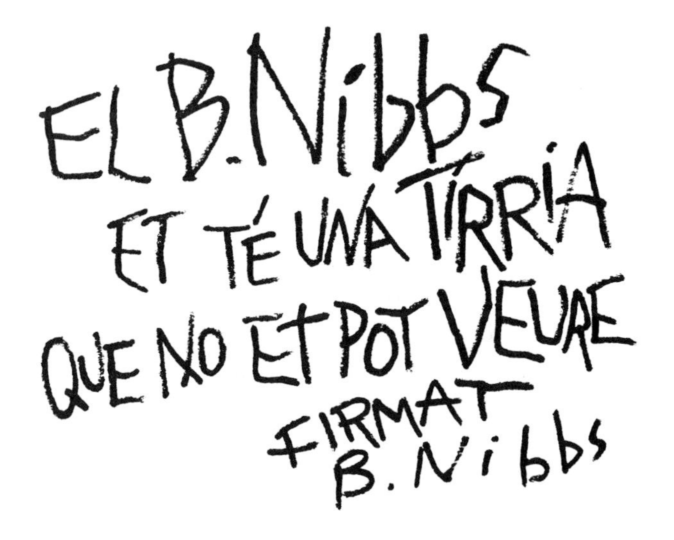

El Basil, que era a terra, estava esborronat, però era incapaç d'alçar-se per fer front a la situació.

Quan el fantasma acabés d'escriure, què pensava fer? Enxampar-lo, o potser fins i tot cruspir-se'l? Potser es moriria de por? O bé viuria perquè l'assassinés l'endemà el director ple de fúria?

El fantasma no parava d'escriure insults cada vegada pitjors, tots firmats *B. Nibbs.*

Però, just quan al Basil li semblava que ja no ho podia suportar més, es van sentir passes al corredor.

Era el director en persona? O es tractava d'un dels col·legues fantasmals de l'Amos, que venia a veure com estava la situació?

Fos com fos, al Basil no li feia cap gràcia el que l'esperava al *capítol quatre.*

Capítol quatre

El fantasma desapareix... O potser no?

Es va sentir un xerric de claus. El pom de la porta del director va girar i va entrar el Sam Browne.

Al capdavall, no havia estat de baixa per una grip, sinó que havia pujat a la teulada de casa seva,

perquè s'havia pres un dia lliure per poder netejar-se la xemeneia, i encara estava tot ben ensutjat.

El Sam estava decidit a conjurar aquell fantasma,

que no el faria pas fugir d'una feina que era una bicoca, ja que el proveïa de franc d'una pila de guix, retoladors, paper de cartes, esborradors, terrossos de carbó i plats de menjar que havien sobrat dels àpats escolars.

El Sam havia consultat un llibre de la biblioteca que es titulava: *Fes que s'esfumi la teva aparició!*

El llibre deia que et podies desfer de qualsevol fantasma fent servir una campana, un llibre i una candela, a més d'unes quantes paraules ben triades.

O sigui, que el Sam es va presentar amb un timbre de bicicleta en una mà i un anuari a l'altra,

i amb dues espelmes vermelles que havien sobrat de l'arbre de Nadal de l'any anterior ficades dins la banda del barret.

—Fuig, esperit de les tenebres! —va cridar el Sam, fent sonar febrilment el timbre de bicicleta.

El fantasma, que estava ocupat gargotejant *B. Nibbs* per l'agenda del director, va alçar el cap en sentir el timbre, va veure un ser de cara clapada amb dues banyes vermelles i es va pensar que era Satanàs en persona.

Amb un xiscle de terror, Shrike va desaparèixer.

PANXARRUT
Firmat B. Nibbs

Però, i tots els comentaris fatals i fantasmals que cobrien l'habitació del director? Van desaparèixer, també?

O encara ens els trobarem, totalment i clarament desagradables, al *capítol cinc?*

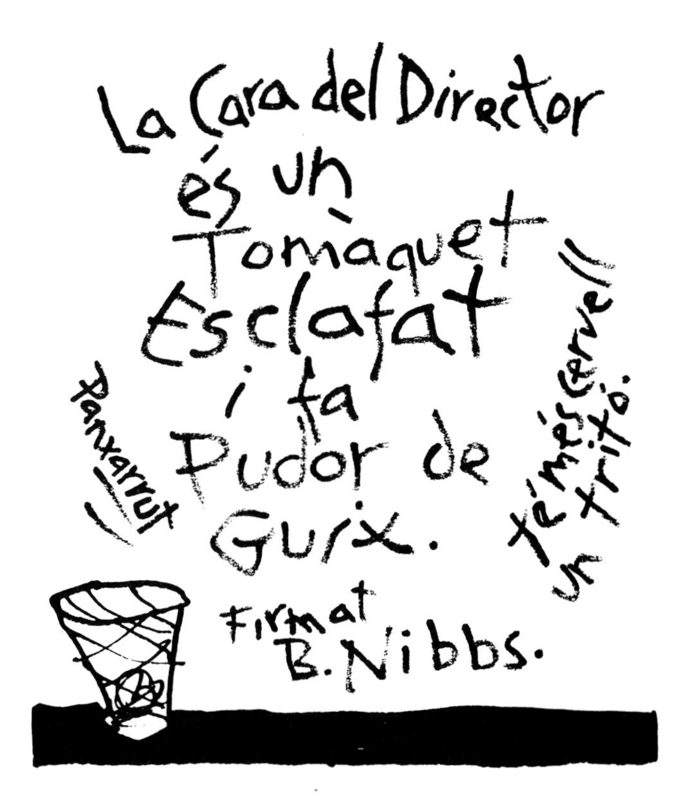

Capítol cinc

El fantasma no es deixa veure

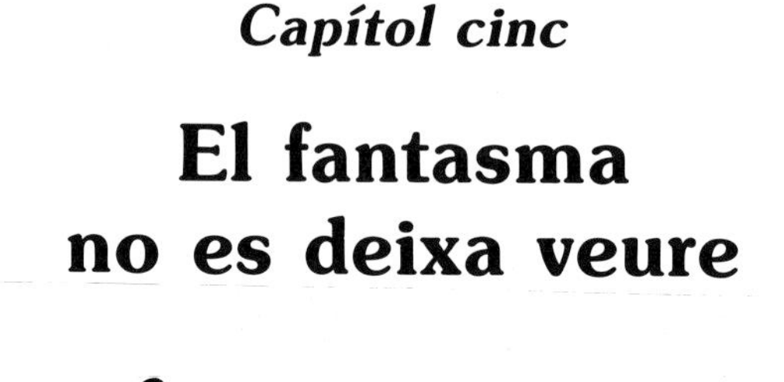

El fantasma havia marxat! El Basil va sortir arrossegant-se de sota l'escriptori del director i es va mirar l'habitació malmesa.

El seu nom estava escrit pertot arreu!

Era com si fos un anunci d'un refresc.

Aleshores va veure el Sam amb la cara clapada i amb les espelmes al barret, com si fossin dues banyes vermelles. Això va fer al Basil la mateixa impressió que havia fet al fantasma. Satanàs en persona!

Ple de terror, el Basil va agafar una cadira, la va fer servir per esmicolar la finestra del director i va saltar fora.

Va córrer a casa com si dugués un coet al cul. Pàl·lid i tremolós, es va llançar als braços de la seva mare, però el terror no el deixava parlar.

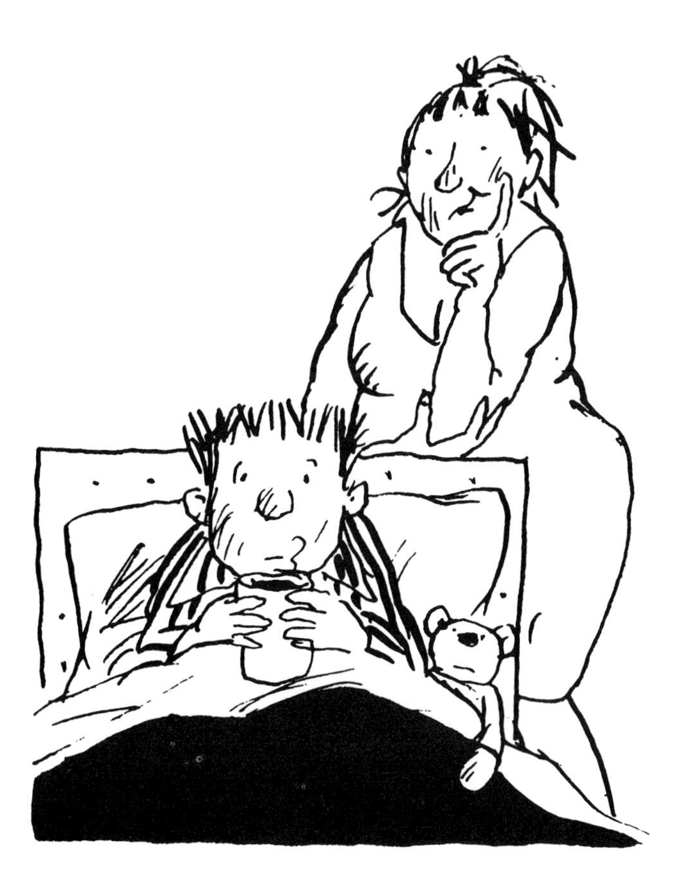

Llavors la seva mare el va ficar al llit amb una bossa d'aigua calenta i amb una bona tassa de xocolata calenta. I el va mirar amb cara de moltes sospites. (En quina una s'havia ficat, ara, el noi?)

Mentrestant, el director, que s'havia deixat les ulleres de llegir sobre la taula, va tornar a l'escola a buscar-les.

Primer de tot, es va adonar de la finestra trencada.

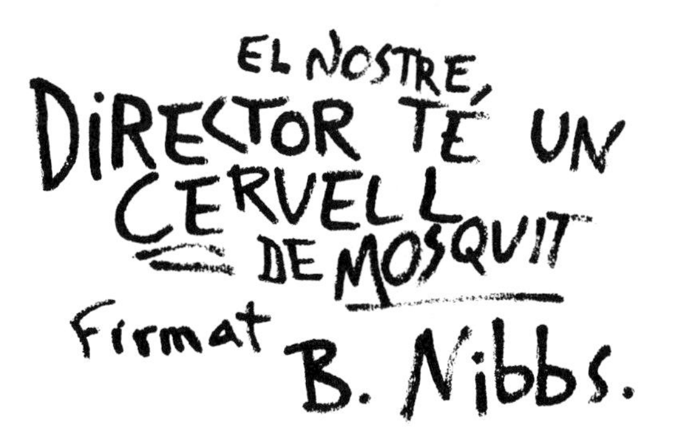

Després, a través del forat, va contemplar el que hi havia escrit a les parets.

Fet una fera, es va precipitar cap a dins i va arribar just a temps d'enxampar el Sam Browne, que s'escapava amb el seu millor retolador vermell (el que feia servir per corregir les faltes més greus en els deures de la canalla).

Ha estat agafat *in fraganti* el Sam, o podrà trobar una excusa astuta al *capítol sis?*

Capítol sis

El fantasma torna

Era inútil que el Sam intentés donar la culpa d'aquell estropell espantós a un fantasma o a un noi.

Al capdavall, el Sam era l'única persona present. («I a sobre, borratxo», va pensar el director. «Quin ciutadà que estigui sobri es dedica a passejar-se amb la roba ensutjada i la cara emmascarada, duent un timbre de bicicleta i un Anuari, i amb espelmes ficades al barret?»)

Per ordre del director, el Sam va arrencar de les parets el paper fet malbé, el va ficar dins d'un sac, i després el van despatxar!

Pel que fa al director, va decidir ser més amable amb el Basil Nibbs des de llavors.

Ja que era evident que el Sam Brown havia volgut causar-li problemes deliberadament.

Així doncs, això significa un final feliç per al nostre heroi?

Dissortadament, no! Perquè aquella nit, cap a mitjanit, el Basil es va despertar sentint uns sorolls estranys darrere la porta de la seva habitació.

Quina mena de sorolls estranys?

Doncs feien més o menys així: Xerric xerric! Clac clac! Gemecs!